René Gouichoux • Éric Gasté

Le loup vert

bayard jeunesse

Il était une fois un loup vert, aussi vert qu'une belle pomme verte.
Il s'appelait Raoul. Un jour, Raoul arrive dans la forêt
des loups gris. Or, ce jour-là, les loups gris jouent au foot.
Comme Raoul adore le foot, il s'approche, et il dit :
– Salut, les potes, ça boume ?
Les loups gris s'arrêtent de jouer
et se tournent vers Raoul.

L'un d'entre eux commence à rire :
– Vert ! Mais ce n'est pas une couleur pour un loup !
Il bombe le torse, et il dit encore :
– Gris ! Voilà la seule couleur digne d'un loup !
Raoul dit timidement :
– Mais vert, c'est ma couleur…
Le loup gris répond en se tapant les cuisses :
– Eh bien, change de couleur !
Les autres loups gris rient
en se tapant les cuisses eux aussi :
– Ben oui, change de couleur !
Raoul s'en va, et en chemin il se dit :
– Gris ! Il faut que je devienne gris.

Raoul court jusqu'à la ville,
et il entre dans une boutique de vêtements.
La marchande lui demande : – Vous désirez ?
Raoul répond : – Des habits, s'il vous plaît.
La marchande propose : – Du vert peut-être…
pour aller avec la couleur du visage ?
Raoul s'écrie : – Ah, ça non ! Pas de vert. Plus de vert.
Du beau gris, s'il vous plaît.

Et c'est ainsi que Raoul s'en retourne dans la forêt,
gris de la tête aux pieds : bonnet, jogging, chaussettes, baskets…
Il porte même un masque gris.
Quand il arrive, les loups gris jouent à la course.
Justement, Raoul adore la course.
Il dit : – Bonjour, les amis, ça va ?

Les loups gris cessent de courir.
L'un d'eux remarque la queue,
la longue queue de Raoul.
Il murmure :
– C'est bizarre, un loup gris à la queue verte...
Au même instant, Raoul pense :
« Zut, j'ai oublié d'habiller ma queue ! »
En s'enfuyant, Raoul entend les ricanements
des loups gris qui se tapent les cuisses.

Mais Raoul n'est pas un loup à se laisser décourager.
Il prépare un grand feu. Quand le feu est refroidi
et que les cendres sont bien grises,
Raoul s'en couvre le corps tout entier,
sans oublier sa longue queue verte.

Raoul est si content de lui qu'il sifflote
tout le long du chemin menant chez les loups gris.
Il réfléchit : « Que vais-je leur dire ?
Bonjour, les potes ! ou : Salut, les amis ? »
Soudain, un orage éclate, un de ces orages
à ne pas mettre un loup dehors.
Raoul, lui, est si pressé qu'il poursuit sa route.
Il court pour arriver plus vite.
Mais la pluie tombe si fort
qu'elle emporte les cendres grises.

Bientôt, Raoul se retrouve plus vert que jamais,
aussi vert qu'une belle pomme verte sous la pluie.
Il rage, il trépigne :
« Puisque c'est ainsi, employons les grands moyens. »
Et il retourne à la ville acheter de la peinture, grise évidemment.

Raoul se couvre de peinture, il s'en badigeonne,
il s'en étale partout : sur la tête, sur les oreilles,
sur les pieds et sur le derrière.
Sans oublier sa queue, naturellement.

Pendant ce temps, le soleil revient.
Il brille tant que le pauvre Raoul
a bientôt trop chaud sous sa couche de peinture.
Il transpire, il commence à étouffer,
ouvrant tout grand sa gueule
pour tenter de mieux respirer.

Heureusement, à ce moment-là, une fée passe.
Rien qu'à voir Raoul se tortiller,
elle comprend immédiatement.
Elle lève sa baguette magique
et, hip ! hap ! hop !
elle délivre Raoul de sa carapace grise.
Puis la fée demande :
– As-tu encore besoin de mes services ?
Raoul gémit :
– Gris ! Je voudrais être gris !

La fée lève de nouveau sa baguette.
Hip ! Hap ! Hop !
Et Raoul devient… poisson. Un poisson rouge.
– Ah ! Raté, dit la fée. Mais, dis-moi,
ça ne te plaît pas d'être un poisson ?
C'est beau, un poisson, ça nage,
ça se promène au fond de l'eau…
Raoul pleurniche :
– Gris ! Je voudrais être gris !

– Bien, dit la fée. Elle agite sa baguette.
Hip ! Hap ! Hop !
Et Raoul devient… oiseau.
Un merveilleux oiseau aux mille couleurs.
– Oh, zut ! dit la fée.
Remarque, un oiseau, c'est agréable :
ça vole, ça traverse le ciel, c'est libre.
Raoul sanglote :
– Gris, je voudrais être gris.

La fée agite encore sa baguette.
Hip ! Hap ! Hop !
Et Raoul redevient… loup. Un loup vert.
La fée soupire : – Excuse-moi,
je ne suis pas très douée comme fée.
Moi, j'aurais préféré être danseuse d'opéra.
Raoul dit en reniflant :
– Je te trouve très bien en fée.
– Vraiment ? demande la fée.
– Vraiment, répond Raoul.
La fée dit : – Eh bien, moi, je te trouve très mignon
en loup vert. Mais qu'est-ce que tu voulais devenir, déjà ?
Raoul répond : – Finalement… je vais rester comme ça.

La fée dit : – Comme tu voudras. Bon courage et bonne chance !
Puis elle disparaît.
Raoul court à toute vitesse chez les loups gris.
Ils jouent à cache-cache.
Cache-cache, c'est le jeu préféré de Raoul.

Alors Raoul s'avance au milieu des loups gris, et il dit :
– Salut, c'est moi !
Et, avant que les loups gris ne disent un seul mot,
il ajoute :
– Oui, je suis vert.
Et après, qu'est-ce que ça peut faire ?